劉福春・李怡 主編

民國文學珍稀文獻集成

第二輯

新詩舊集影印叢編　第65冊

【王統照卷】

橫吹集

上海：烽火社 1938 年 5 月初版

王統照　著

（署名：王健先）

江南曲

上海：文化生活出版社 1940 年 4 月初版

王統照 著

花木蘭文化事業有限公司

國家圖書館出版品預行編目資料

横吹集／江南曲／王統照　著 — 初版 — 新北市：花木蘭文化事業有限公司，2017〔民 106〕

34 面／100 面；19×26 公分

（民國文學珍稀文獻集成・第二輯・新詩舊集影印叢編　第 65 冊）

ISBN 978-986-485-151-5（套書精裝）

831.8　　106013764

ISBN-978-986-485-151-5

9789864851515

民國文學珍稀文獻集成・第二輯・新詩舊集影印叢編（51-85 冊）

第 65 冊

横吹集
江南曲

著　者　王統照
主　編　劉福春、李怡
企　劃　首都師範大學中國詩歌研究中心
北京師範大學民國歷史文化與文學研究中心
（臺灣）政治大學民國歷史文化與文學研究中心
總 編 輯　杜潔祥
副總編輯　楊嘉樂
編　輯　許郁翎、王筑　美術編輯　陳逸婷
出　版　花木蘭文化事業有限公司
社　長　高小娟
聯絡地址　235 新北市中和區中安街七二號十三樓
電話：02-2923-1455／傳眞：02-2923-1452
網　址　http://www.huamulan.tw 信箱　hml 810518@gmail.com
印　刷　普羅文化出版廣告事業
初　版　2017 年 9 月
定　價　第二輯 51-85 冊（精裝）新台幣 88,000 元　

橫吹集

王統照 著
（署名：王健先）

烽火社（上海）一九三八年五月初版。原書三十二開。

烽火小叢書第三種

橫吹集

王健先著

烽火社出版

文化生活出版社總代售

橫吹集

烽火小叢書第三種

王健先著

目次

上海戰歌（一）

誰曾發怖這江頭迷場的毀滅?
誰還擔心爲了這地方的「元宵夜夜!」
在敵人的血雨中我們須努力求活，
求活，——齊聲，高呼，東，西，南，北，我們的國
魂迷歸來些!

看一羣猛獸被調弄在獵人的雙手；
看片片烽火掩沒了晴空的白晝；
看裸體苦兒撫着創傷，躺在街頭；
看一朵白雲迸落下炸成幾道紅流!
鬪士，開疆，送多少青年到江邊血葬，
「膺懲，」「征服，」一只憑着無靈魂的軍閥
幻想。他們：也有寡婦，孤兒流離，苦痛，
平民的災殃；
爲甚麼呢?——這正是血污歷史的一疊
迷眼!
現在，——「表裏山河」却便利了敵人的
車馬，舟楫。
現在，——重重鐵索還盡力地把我們細
縛。
縱然塗滅了記憶的顏色，把過去的事件
忘却，
現在!——你是否忍得下這當前的恥辱

低首苟活！

春江夜夜笙歌好，

秋江江上月明高，

來一陣驚風掀起滔天血潮，

笙歌，明月都化作飛彈，流硝。

幾百萬的居民，橫心同笑：

爲結算歷久的血債，我們

忍待着償報，忍待着償報！

享樂與幽閒再不在大家的心中種下根

苗。

這時代的「嚴肅」你與我都應一例警

到，

聽，——不是嗎？大江南北也一例有敵騎

的呼嘯！

上海戰歌（二）

「阿囡的爺那天?阿是十八的那一晚?
有風，有雨，他不怕寒戰。
廠裏起火，……東洋人一股勁轟炸，火啊
　喲。火，那駭人的紅天！
一片黑烟，弄堂裏誰也睜不開眼。

「呣，他在這性命交關時，拖着阿媽跳出
　了火罐。阿拉，
橫豎是女人，還有兩個孩子累在身邊。
天那樣黑，紅火頭一道道飛閃，看啊，楊樹
　浦的靠江一面。
炮彈，炸彈那能分淸爽格。
身子上濺黏一片，分不出雨和汗。
路在那裏?一陣硫磺氣冲得人倒退，
又聽見四處的怪聲齊喊。

「一陣衝，阿媽擠掉下浦灘，——水，一片
　烏黑又變成一片慘藍。
救命啊！對誰喊叫…接來的如熱雹樣的
　尖彈向人羣裡穿。倒下去，滾過來，…
　…只聞得血腥抖上鼻尖……天哪！
阿囡的爺他摸到那一邊?

「還記得他的一聲暴喊！

……現在一個禮拜了，
定規是隨阿媽一去不返！
是槍傷，是踏死，還是被水淹？
天哪！屍身不見，講得上全不全！……」

流落街頭流難民，
衣衫破裂面目昏。
也有兒童新浴血，
哀號淒聲忍復聞！
呼爺喚母群查問，
自從失散死生分。
江邊大火無家去，
逃得生命腹轉輪。

火灼的，鋼刺的，這歷年來的積恨，
像哲理家我們太無用了，慨歎着人類的
愚蠢！
有今朝，一江秋水紅遍了兩岸，
爲民族，爲我們的苦難者，我們還將一江
血水還報敵人！

上海戰歌（三）

果眞有最後的裁判？
　我們不應受地獄的熬煎。
果眞有報施不爽的殃慶？
　我們更可相信我們正直的行動。
智慧把握在野心者的鐵爪中，
　科學機械更充實了他們的獸性。
果眞有「世紀病」的存在？
　這便是人類命運的眞哀！
我們不誇大，不病狂，更不是
有戰爭的嗜好。我們知道：血塗郊原，
屍橫江河，處處關山，在未來
白骨青燐，水沒了他們的深痛，沈冤！
衞國的壯士，被軍閥強派來的異國青年，
尖刃，火彈，作了他們陌生的介紹，
拚死命在戰場上衝突周旋
世界悲劇永遠是一套鏈環，
但不打斷鏈環這悲劇無日演完！
看：多少家庭永打成離散，
　多少兒女都被挑上鎗尖，
　多少樓閣在火光中一霎消散，
　多少田野把收穫丟在一邊。
我們沒曾對異族侵犯，隔一道水海，
他們却早已拉下了無情的鐵面。

自由，化做了飛灰被鐵蹄蹴踐，
國家，須遏他們的意志毀壞，損殘。
戰！我們到現在方才共同抗戰！
要擊碎鐵爪，以血還血，作一次澈底清算。
我們扮演着世界悲劇的脚色；
我們不遲囘，不低頭，不覺得驕矜與羞慚。
我們能坐看未來的報施？
我們能靜待最後的裁判？
否，否，我們要拚死爭囘我們的「當前！」
這世界是否要像火山的爆裂？
全人類是否要被科學的武器毀滅？

我們，面對着恥辱與嚴肅的「當前，」
誰能計較未來的憂，喜，完缺！
我們，用正義爭囘我們的屈服，
我們，鋪成血路引導新世界的青年。
現在到了我們所酷愛的和平反面，
向前！向前！我們歡喜踏上尖銳的刀山！
深痛，沈冤現在要從何方清看？
有一天，終須打斷了鐵爪握住的鏈環，
有一天，這世界纔聽到黎明的叫喚！
到那時，我們方把這本血賬結成清篇！

八月二十八日

死與生

一

誰曾眞吃過永不死的靈芝？
誰曾見過一千年長留的「活害？」(註)
「死生亦大矣！」從哲理上看這問題，
不是一粒芥。是的，生以勞存；
死以佚在，死是安息，和平，無怖，無礙。
幾千年來，我們用歎息，眼淚，
葬埋了人間過去的一個世代，一個世代。
血，肉，骨灰，在土壤中培生着我們
食物的根荄，滋養着下一輩的嬰孩！
死，難道不是新生的原始嗎？
死，他潛藏着生機萌發的將來！

以血生血，以力生力，以死亡，——安息，
給後人先償還了生之欠債！
「死生亦大矣？」那又是多平凡，多尋常，
你何必驚怪。我們，——
從兒啼時已負起死亡與更生的使命，
不折，不扣，是誰能逃却這到時的
淘汰？到頭——歎息，眼淚，只掩埋了屍骸，
却也培長着新的力迸出在土壤外。

二

默默地生了，又默默地死去，
這世界永遠是一齣悲喜劇的混合扮演。
多少角色在情緒與希望的顚倒中，

爲生與死，哭，笑，唱，做出發與歸還。
但是，時代應分派我們演出壯烈的史劇，
將精采活力，一準要塗上血的幕面！
我們，——現在是壯烈史劇中的一員，
我們，不是爲向四圍的觀客博得掌聲，
我們，更不爲翻觔斗作滑稽的表現
生，在這重頭劇的終場後，
死，他扳起嚴重的面孔站在當前！
莫把勇氣消失於對方的鑼鼓喧天，
莫怕未來我們的衣服被污血濺滿。
好在我們從此不再默默了！
我們，也像世界舞台的角色舒動腿拳。
應分，——我們用得到甚麼籌思與顧念！
看，四圍風雨中交織成血腥一片，
這舞台也有我們的還擊高喊。

把生與死用力量解去糾纏，
朋友，你不會忘記我們的角色四萬萬五千萬！

三

死，死何曾給我們威脅，反把我們的精神堅定。
是的：居庸關外，永定河邊，吳淞江上，還有，還有，
數不清的田原，邨落，城市與灣港，車，舟！
死，肢體殘斷，心腸躍碎，女人的裸體嬰孩的頭！
死！到現在我們還向敵方作情理的申求？
還能把人道講義說與瘋狂的瘈狗？
但，死得盡嗎？我們的種族，我們自古立國的「神州」。

誰不已受過這壯劇的第一課，「復仇！」
我們卽是好和平的扮演者，也應覺出人
類的恥羞！
「生於斯，死於斯」無論如何，我們是故
國的生物，
無論何時，我們終有我們的存留！
要用死之力織一個迷網，——
想這樣便把我們民族的精神一網全收。
這不是癡人的毒想？不需再問我們的敵
與友。

我們早預備着血肉奪取我們的未來，
以血生血，以力生力，以死亡作再生的投
救！
敵人，你們的毒力到處塡滿吧，
朋友，——我們向前去，先要衝過這一個
血洗的新秋！

（註）「活害」是一種俗語，所謂「好人不長
壽，『活害』一千年」初不知此二字之
寫法，以意揣如此，或不錯也，

阿利曼的墜落（註一）

毒蛇屈伏在草莽的窟穴。
就是人影牠並不曾饒過；
惡笑着慘吃生母的鴞鳥，
向來歡喜在黑夜裏叫嘯。

人類精神已全沈入汚血的地獄，
是否？我們有力的手，光明的眼睛
要變做毒蛇的歧舌，鴞鳥的凶暴？
蒙一層人型面具便宜了口舌爭吵，
文化，道德，思想，都充做刼火的燒料！
受難的苦痛是「武士」的藝術鑑賞，
向四方威喝：看！這一隻魔手伸得多高。

一切人力，一切財富，一切的慘痛，憂傷，
「來毀滅，毀滅——再一個毀滅！
是悲慘嗎，肢體飛舞與心肝的活躍？
你們，不甘心做日出國的奴隸臣民，
你們，便該當用全體的血洗磨鋼刀；
你們以前曾不知征服者的技巧，
你們：靑年，老人，幼孩都得塡平這條血道！
看！迸散的火球，多美麗落自雲霄，
看！頭顱，手脚，都供給「王道」人的狂笑！
向江邊，一道淸流冲入血潮；
向窮人草屋作火雨的洗澆；
向池中遊魚來一次剎隣的蒸爆！（註二）

讓全人類眼睜看「大和魂」的橫傲。
牠的兩隻鉄翼標明了「邪惡」與「黑暗」
阿利曼從墳墓中又一次的奔跑。
曾聽說過，用鉄與血維繫住民族的生命，
如今這兩個字也蒙上了恥辱的惡嘲。
他們說：他們是含有各民族的血液，
　是將各民族的文化凝消。
他們說：四海之內都是親愛的同胞，
　他們要建立世界的人道！
但，來了，阿利曼的毒威隨着跨耀，
牠越過黃海，南海與北方的大陸，
牠撈起了腥風，毒疫血雨與驚濤。
牠噴出一羣瘋獸口中的毒汁，
播散着憎恨，痛惡，全世界的煩惱！

不錯，勇敢是刹帝利的德性，(註三)
却不是一任阿利曼罪惡的咆哮。
　良心的聖地變做汚池，
　把理性智慧全在溷糞。
　是民族精神迷了路途？
　還是文化銷鎔的末日？
　永存的罪孽裏
　牠膠粘住牠的雙翼；
　黑暗的虛空裏
　牠墜落了牠的本體。
我們，誰能忘記，誰能放下復仇的鞭笞，
誰能看不見，我們的男，女，我們的嬰兒！
我們冷視阿利曼散布無理性的瘋怒，

我們用「光明」「氣力」擊碎了牠的翅子！
已經撕破了的衣衫那能顧惜，
我們勇敢地把創傷獻與天日！
要創立「光明的王國」這是時機，
不退縮，不驚怕，更沒有猶豫回顧。
洗一片山河，用我們的熱血沖盡恥辱，
放一把光明火燄引着衆行星的光體！

阿利曼有墜落的一天，
牠目今受嚴刑的裁判。
苦難降臨在那片土地，
靈與肉都有難堪的慘！

我們不幸應分做裁判的前驅，
我們也幸而有正義造成盾面。

我們曾不敢掀起驕傲的思潮。
拼合着生命的總體衝破黑暗。
時代不饒過我們以往的疎失，
當前，生或死激起有力的誠虔！

實現——阿利曼有墜落的一天，
那毒蛇，鴟梟也銷毀了牠們的形體，
纔傾散發出戰的芬芳與戰的氣力；
良心的聖地也能顯露光明的平面！

九月二十七日晚寫成

(註一)阿利曼(Ahriman)乃古波斯民族神話中代表「邪惡」與「黑暗」的王國亦即「邪惡」與「黑暗」的本體。
(註二)前數日日機轟炸南京某處，水池中魚類死者甚多見九月二十六日各報。
(註三)剎帝利(Kshatriyas)屬於古印度階級中的第二階級，指武士與統治者。

又一年了

又一年了，毒風橫吹着血雨，
大江邊消失了年年秋草綠。
一枝蘆葦，一道河濱，一個樣，
受過洗禮，飲過葡萄的酒漿！

又一年了！
　你沒曾安眠在秋楊的墳園，
筆尖上的銳眼，
　到處看透了這古國的災難。
你自然聽到、
　激起在個人的靈魂的巨響；
你早濘盼着，

「阿Q」的衆生相會激起憤怒的風旋。
生前，曾不發一聲呻吟，不沈入悽歎，
投一支標鎗黑暗中明光飛閃。
你的周圍現在正演出民族的義戰，
血泊中的少年應記着當年的「吶喊」。

中國也有翻身的一天，
幽冥不隔喜悅的遞傳！
四郊全奏着周年祭的壯樂，
聽，風，雨，砲、火，是壯樂的飛絃。

——魯迅先生逝世週年日作

她只有二十六年

一簪火光在歷史中飛閃，
　辛勞，爭殺，恥辱，憤恨，
　都爆發在火苗的尖端。
你回顧忘不了這廿六年！
種一根火種在胸頭燦爛，
　一絲希望把青春燒燃。
　頭一回光明的雙十字，
城市，鄉鎮，每個家門照遍。
秋風，從漢江吹起人民的
　凱旋，寫就了和平文卷。
　淚溢在目眶，歎撥心胸，
從此整頓起漢家的江山！
一年了，塵土打沒了火苗的尖端，
　顏色，風雨中變成黯淡。
　是的，論時間她正當青春，
殘廢，疲弱，秋來，她賸下一聲淒歎！
沒有舒鍚的喜劇她曾經扮演；
　也沒有眞悲劇，偉壯的表現。
　一隻魔手把光輝塗掉，
雙十字，幽靈似地在虛空飛懸。

到處是毒箭，狼牙，與無恥的誇炫，
時時是傷心歎氣，火上熬煎。
血痕，餓泪，有多少堆金積骸？
我們的雙十字呢，她早已藏了笑臉。

這中間曾有過震耳的急管繁絃，
她曾經仰起雙目望着白日青天。
來一陣破空音樂，把期待譜成曲調，
她想在壯烈的韻律中爭回華年。

必然的風暴過海盤旋，
那時季不是一時突變。
還流着血河到處氾濫，

在那裡，她的微光重現？

如今，她的國土到處有 傷，箭瘢，
如今她要把精神向全世界貢獻！
她的雙手高舉着「正義」與「自由」
的旗幟，
點着了光明的火炬她敢向魔鬼對面！

如今，他的青春的身影不曾消逝，
看：生之躍動，力之迸發，她依然是
有新生的強健。要恢復她依光輝，
你記得，到現在她只有二十六年！

為廿六年雙十節紀念日作

夥伴，你應該聞到這一陣腥風！

一

夥伴，你應該聞到這一陣腥風！
人的肉，人的筋骨，和人的臟腑？……
從稻田裏，葦灘裏，北方平原與山谷，
散布開迷人的芬芳，衝過長空。
你瞧，皎白的秋星點紅了眼睛，
你聽，槍砲瘋狂了做渴血的夢！
這深夜再容不得假作朦朧，
多輕，多細，一隻蛩也叫出他的寃痛。
不是蕭瑟，不是凄清，吹來這陣腥風，
自然，你聽到傷兵的慘叫，女人哀泣，
但這不會搖動了勇敢者壯氣，
你要聽，要得到，腥風中的言語！

二

「吹來，吹來，越過血流的河溝，火窟：
吹來，吹來，我們到處踏平魔鬼的脚迹。
那高峯，夾道，掩沒了樹葉的高吟，低嘯，
火彈，巨響，——空中的鋼鐵相合伴舞。
夜，她在黑暗的翼下裸出身體，
我們把正義的喊聲到處傳布。
我們也伸出雙手，曾被魔鬼的血污。
感謝！那一片黃水的江空，月明，
她的光輝，遠遠的，亮亮的，送我們飛行。
有我們的使命，也有她的光明見證！

我們，快快去將冤憤，激怒，熱情，
播散到城市，鄉鄙，每個人的心中。

三

「四千年故國自有她永恆的生命：
彎曲黃河，肥沃的揚子，多少山河，
多少物產與過去歷史上的英雄。
在土地上，他們先人曾有過鮮明的印迹，
在風雨中，他們曾不停止他們的行程。
由北來，地方的印迹沒逃過我們的眼睛，
現在，勇敢的到處喊出大戰的怒聲！
中國，——這多動人的名字又重新跳躍了，
他們迅速地，鮮明地，衝動世界人的心胸！
不怕魔鬼的播弄，不管辛苦的飛行，
我們為這兩個字——中國——有我們的
使命！
你能憎恨麼，雖然我們是一陣腥風！」

四

夥伴，你應該聞到這一陣腥風，
你更應該牢記着他分送的言語！
中國——為這兩個字，從今以後，
你不會迷失了你的路途；你更不會
不認識腥風來處，魔鬼的狠毒！
時代的引誘能讓你我在夢裏
安度？刀光，火影，那一條條的死屍，
為中國，他們不再怕刀火的威逼；
為中國，他們永笑的靈魂心安意足！
他們領受腥風的使命，在生與死的
關口，為中國——插下了血紅的旗幟，
夥伴，你聞到腥風，也認明旗上的二字！

十月二日夜半

徐家匯所見

生前多少磨難還贖不下一次平安的死！
一行列白衣人，他們低唸着神怪的頌詩。
這窄街小門擠滿淒涼的男女，
冷颼颼，每個眼光向蒼空注視。
餓狗尾巴拖着掘地窟的鬆土，
軟黃的一道淺溝還攙上血跡。
　清峭的秋風
勁打着他們的薄衣，
上面十字架
　寂寞中吐一聲歎息！
小道嵌入碎石子的巧樣圖案，

尖樓上異國的三色旗迎風高懸。
我們的壯士在那一面橫着鎗尖。
一道濁流密浮着臥屍樣的木船。
一車白米，一車柴炭，一車車的香烟，
雙汽輪也塗上了黃泥的醜面。
前去，前去，他們勇敢地繞過郊園，
「你猜格些末事，是勿是開往前綫？」
送葬人的身影被大教堂的鐵門吞入，
默默地，跪倒壓住了抽咽的聲息。
「多慘呀，交關，一家人攢死了三口，

紅十字醫院裏還餘下瞎眼的孩子！
正是鄉下裡吃夜飯的辰光，
偏偏東洋飛機落蛋格末希奇！
一灘血水，大火連燒了隔壁，
巧勿巧，那家老太婆還做着冬衣，
一塊熱鐵打碎嘞伊拉的頭顱，
一俺俺白髮，血粘住阿拉家的竹籬！
大十字架似蒙上一張暗紙，

西風掠水上皺起一層暗綠
幾聲炸炮在高空騰起，
多少寒蟲荒原中低泣！
一羣白衣人重向小巷中隱沒，
推開雲層月亮也含一臉慘悽。
看！一炷紅烟從東北方向上突冒，
今夜，也有我們的鐵鳥在江邊襲擊！

橙紅的夕陽蒸發出柏油路的毒熱，
一朵朵迸破的彈花空中散開白結。
馳，四面飛聽過的炮聲，遲緩了脚步，
低頭前去，心中正激躍着沸騰的熱血。

九月的初旬呀，一聲聲知了猶唱淸歌，
高加索身型的少女沿鋪道蹙眉經過，
短鎗黃衣，束埔寨壯士。臉上一片油黃，
他，眼望晴空，似在找那隻鐵馬的「婆娑」。

這是我們國家的泥土，如今
我們躲在這裏，愧聽前線上生命相搏！

多少壯士，爲國家血染江河，
我們幹甚麼呀！任管怎樣的巧說。

一角紅樓上迸散出曲調的淒切，
似爲遠方的少婦，把秋夜
夢情對心中的征人低說；
也許，那河邊白骨還有靈的知覺？

是爭鬥，總得向死中求活，
我們的血淚要澆開自由的花朵！
就是將多少老母，少婦的柔心揉碎，
爲我們的兒童也值得熱血一噴潑。」

是呀，人間何世？這是甚麼地方？
血肉築成堡壘，巨響震醒了一落漠。「一
郊原，河流，鄉村，城市都被敵人的血手染
過，
「去，一陣風也帶來人類的惡毒！
「先生……先生！抖咽的輕音從車輪
聲中迸破，
一臉污塵，那裡來，失路人的飄泊。
右臂上不會走的嬰孩紅腫了眼角，
緊且着阿爹左手牽引的阿哥。
「先……生，救救啊！我從楊樹浦的
火窟裏逃脫。我，家在揚州隔路程不多。

現在，孩子倆，你看，瘦得皮包骨，
不要命想回故鄉，擠上火車，路費無着！
「先……生，碼頭邊擺一個小攤安住生
活，
兩年來她從紗廠裏，每天大洋三角，
一天天，我們用粗米黑麵，把日子挨過，
想不到，這樣，如今還落得人亡家破。
「先……生！自從大砲把碼頭轟破，
日本兵，來來去去到處是鎗彈飛火，
我沒了生意，還捨不得那一屋的家私，
不見笑！我們沒有銅鈿早過蘇州河。
「他們的媽，到街口買物事，四個整天

形影不見那幾多少人——中國人的
　　血到處染成紅窠。又是一禮拜，我
在破屋裏瞪着眼聽鬼叫白天夜夜，，！

「『放火了。快快逃！』西洋人沿街喊叫。
就那天，我領了孩子也衝上卡車。
把窮命三條從人家的鎗尖中逃過，
從此，沒了住處，沒了飯食，更不知她的死
　　活！」

「有收容所，你應該問路投住啊，
老是在街頭流浪……」
「先生，……你該知道收容所人那樣多，
一進大門便加上鐵鎖。
米飯來，誰也想擠上去救救急餓，
先生，還不如沿街乞討，弄堂裏睏覺。」

黃昏後，熱風吹掠着大星暗裏閃爍。
滿街的嘈音，滿街的步履；滿街的樓閣！
還彷彿三兩聲砲彈在那處飛墮，
再聽，紅樓上的哀音如樓空間嬝娜。

九月八日晚，在滬西區道遇一揚州小販，抱一幼女，蹣一四五齡之男孩，臂上一破布包無他物。髮長面黑，憔悴，疲乏之騷步已難。二孩瘦極，狀至可憐。男子低聲求助，予詢其行蹤，具如詩中所述。他不往收容所理由如是；但至上海之收容所決不能盡如所告，他或偶見人衆擁塞爭取食物故情願作街頭流浪人耶？

九月九日夜中

憶金絲娘橋

「甚麼橋？斤四兩，好奇怪的名字！
讓我看，怎樣寫，路旁的黑字標記？
咦，你看，「金絲娘，」多漂亮，你再不會忘記。
好！配得上這初秋風雨中江南的景物。」

淺水中蘆葦的白髮蹦蹦飄拂，
幾隻小鳥衝破郊原的地平紫氣。
雖有一陣細雨卻不會遮住——
金黃的—稻田，空翠的—疏林，棕黑的—
　　蓑笠。

冷冷斜風送我們飛馳過雲間的秋郊，
已近黃昏，沿海塘回望着美麗的古橋。
鄉間茅房，一縷縷烟高掠過樹梢。
似有個故事中的主角蹙眉淒笑。

隔一道柳岸低田中水在喧叫，
載竹笠的女孩子牛背上凝跳。
輕茫茫，一片水烟把村落失掉，
遠遠一棹白帆像海鷗的輕鳧。

又一個深秋，報紙上重看見這奇怪的名
　字，
如血，如火，瘋狂的屠手沿海堤從這邊突

入。
金絲橋上正交織着血絲！
稀落秀整的鄉村，風雨中，
男，女，兒童，有多少生離，死屆？
探照燈正閃耀着飛彈爭逐，
抖滿郊落葉，牠們在泥濘裏哀泣！
一邊，壯士吶喊的合圍聲四方叫起！
我們不再憧憬了，
那處地方沒被過血污！
我們還再遲疑麼？
瘋獸已磨尖了有毒的牙齒！
江南再一齊披上血衣，
有婦女的欺侮兒童的屠戮！
他們可知人道的顧惜？
火雨曾澆過多少城市！

是太平時粉飾着絲稻的肥區，
是詩人們幻想中的水鄉烟蕪。
從黃海飛銜來大小鐵艦，
蒼穹墮下無數的爆火連珠。
他們早想把這片肥區攫取，
詩人幻想也變成慘酷的畫圖！
如今，金絲橋上正交織着血絲，
作甚麼回憶呢？稻田，疎林，蓑笠，
柳岸，低塘，向人搖曳的蘆蒲？
否，否！回憶已抹上勇敢的畫面：
情願在她的髑屍上塗遍血污，
是偉壯的戰跡纔不負秀麗的風物！

多謝那一夜的炮聲

月，刷亮了大野也刷亮了
　　槍尖與人影。
西風，從江心掀起多少年
　　沉痛的呼應。
漁邨，茅屋，垂柳隄，以前都
　　做着和平夢。
豈一道長江還想在這裏
　　抓得住繁榮？
這一次月亮變了顏色，風
　　他換了口令。
多謝，那一夜的砲聲！
我們不須在江南的夜景裡呻吟，

我們要勇敢地接受夜景的創痛！
寸田尺土是我們祖宗的血肉培成，
撒一把自由花圍繞住我們的國境。
曾沒有金珠權勢可償還亡國的煩冤，
空留下一江水可能限住胡馬的縱橫？
過去的歷史已有過多少傷心的血證。
我們緊聯起南北血線築一座新長城。
如今戰雲漫住了古邊塞，
江南也從溫柔的夢中抖醒。
江北，江南都幹着生死的火併，
血衝秋夜纔對得住明月清風！
多謝，那一夜的砲聲！

中華民國二十七年四月廣州印刷
中華民國二十七年五月初版發行

實價國幣一角

烽火小叢書第三種

橫吹集

著者　王健先
發行者　烽火社
上海巨籟達路福潤里
漢口德潤里第四十號
總經售　文化生活出版社
廣州惠新東街二十號
重慶天主堂街三十號

烽火小叢書第一種	控訴	巴金著	實價國幣一角六分
烽火小叢書第二種	我們的血	靳以著	實價國幣一角二分
烽火小叢書第三種	橫吹集	王統照著	實價國幣一角
烽火小叢書第四種	在天門	鄒荻帆著	實價國幣一角
烽火小叢書第五種	大上海的一日	駱賓基著	實價國幣一角二分
烽火小叢書第六種	戰地行脚	錢君匋著	印刷中
烽火小叢書第七種	炮火的洗禮	茅盾著	印刷中
烽火小叢書第八種	不願做奴隸的人們	朱雯著	印刷中
烽火小叢書第九種	苦難的開始	羅洪著	印刷中
烽火小叢書第十種	在東戰場	黃源著	印刷中

文化生活出版社總經售

上海　廣州　漢口　重慶

廣(9:4,27)

江南曲

王統照 著

文化生活出版社（上海）一九四〇年四月初版。原書三十六開。

文學叢刊

江南曲

王統照

文化生活出版社

江南曲

王統照

自序

對於這個集子不想多說甚麼感慨沈鬱的話，更不想敍述我對於詩歌的見解。

生活於這樣苦難的時代；也就是使每個人受到嚴重試驗的時代裏，無論在甚麼地方，所見，聞，思，感的是何等對象，誰能漠然無動於中？當情意憤悱，又無從揮發的時候，偶然比物，託事，塗幾首眞眞不能自已的韵語，固可少覺慰安，同時，也深增慚愧！

我每每在寫完一首之後，撫摩着手中的紙筆，茫然四顧，不知所可。

「你的雙手會給這時代，這存亡關頭的國族做過甚麼貢獻？有過甚麼成績？

「詩！縱使是如何生動的計劃，有力的激發，也不過是筆尖上的空花，口頭上的痛快，……

「你的雙手在這大時代中就只會弄這點「小技」麼？……」

『百無聊賴是詩人，』詩人之無聊與否我不敢輕下斷言；但重覽自己的這點『小技』所表現的，是『詩』與否都覺疑惑，這更使我有深沈的悲哀。可愧！在這樣時代的逼壓下，自己竟連用『小技』的本領都沒有，——不會造出閎偉悲壯有血有肉的詩篇。『詩人，』這近於諧諷的名字我不敢腆然自承，聯想到『百無聊賴』四字，却感到皮膚起粟！

只是分行而多少有點韵節的感言罷了，何必曰『詩！』用『江南曲』這個現成的舊名，別無深意，只證明這集中的分行文字都是滯留在江南這片土地上時所寫出的記憶與興感。因爲江南春太俗靡了，江南怨太悽惶了，且不與內容諧調，末後，還是藉用這個『曲』字——也藉以表示這些文字並非堂皇大雅的詩篇。然而，『曲』談何容易，偷此一字，尚覺慊然！

第二輯內的兩篇都是廿五年秋間的舊作，今亦附錄集中。

作者二十九年一月

ii

目錄

第二輯

第一輯

熱風曲

一

在火繞周遭的大城裏，
灰燼墜散開她的髮髻；
一顆飛蓬掛上縷縷黑絲，
是出賣的標記，靈魂？身體？
來往街頭聽淒清的雨滴；
沒有前途，無家鄉的歸路。
抖一下亂髮，她撲坐號哭，

身旁那破衣孩子倉黃四顧。

二

『俺，徐州府北土嶺的鄉莊，
念書人家，他爹曾讀過學堂。
如今，遭了橫災話也難講，
喊聲苦難，人還笑俺侉腔。
前年，他爹敎書到西湖上，
一家三口還能撐住肚腸。
來江灣又一會化錢搬場，
北站，他彷彿記着行李賬。
那一夜，大炮像過年般放響，

4

從火線裏，逃到蘇州河旁。

三

『嚇炸肺，他直喘得病牛樣，
衣服當光，醫院裏佔一張床，
二十天，活生生他向土裏葬！
沒丈夫的女人，還有這孽障，
難民所濕地上俺生出毒瘡。

四

『天哪，如今更沒了睡覺地方，
夜兒晚，爬伏在前面的弄堂。

孩子，見甚麼吃的伸手就搶，
講嗎道理塡不滿他的空腸，
俺，那有大氣力硬拉回身旁！……』

五

五月夜，舖道上波流過多少男女，
擲一臉輕浮，一個斜視，更好的，
在弄姿的血嘴上若送一聲歎息！
不錯，這城中不希罕這樣的人物，
還値得淚眼酸鼻裝甚麼希奇：
『多啦，你管得了？何必在道旁尋思，
慘事？這多麼平常……女人，哭，

6

是她的看家本領，中啥用？小孩嗎？
這不夠瞧！你還是到難童會去去，
心腸學硬點，識相些，這是啥地處！』

六

夜深沈，初夏的熱風獨唱着懷鄉曲老乞人伴守着寂寞；
饑餓無聲，惡夢將生命搶入。
交叉鋼軌彷彿是冷眼毒視，
牠明白，不久這娘倆準有歸宿。
行人去了，『羣動』在各個穴窟裏狂叫，歡唱，怨詈，與悲啼。
是那裏？遠麼？傳來鐵丸的交響，
多生動的樂音，又活躍，又清晰，

春申江畔又點起夜戰火炬！
『媽，』病孩的顫聲：『聽！又來了，又來了，……
上年夏夜的爆竹。』

二、三、四節因摹仿難婦口腔，又顧到韵的闔合，故有類俗歌小曲。寫成後擬改數次，又無更好的文詞，只能保存第一曾原稿的形式。然覆讀後，終覺不愜！附記。

誰能從你的心底把暮愁澆消

一

誰能從你心底把暮愁澆消?
庭院，郊原，還有輕浮着——
夢痕的水道；一行弱柳；
一片桑陰；柴門外柔波
蕩影的小橋。聽音變了，
那婉轉黃鶯春光催老。
趁一霎晚涼，空場中，你，

家兒人，鄰舍朋友，閑話着
歡樂與苦惱；就是一隻貓
也逗着草根伸個懶腰。

二

誰能從你心底把暮愁澆消？
那一切欣慰，（我不說全沒煩擾。）
被突來的火災燒掉！遍野的血；
遍場園的白骨；遍山河的肉酪；
是一顆綠樹也燃着了火梢。
市墟，草屋，烏蓬船與水龍骨，
連你家的一張竈種浩刼難逃。

10

你知道：這浩刦是鐵爪的揑造，
在你的土地，你自己，你的子孫身上，
硬裁下恥辱，毒苦虐，迫害的根苗。

三

如今你的心還空蕩着無力愁絲，
空張望故鄉的斜陽，還斂住心跳？
單說江南，——中華歷史上的『佳壤』；
甚至說你家的一角；你的一顆心——
你那份暮愁早變成毒蛇的口咬。
和平與欣慰更逼你由回憶裏
記明這血印從皮膚打透心竅！

11

你準氣湧身顫，誰說你忘了酬報？
為你自己，你的子孫，為你的土地，——
更為了人間的正直，公理與人道！

12

五月夜的星星

五月夜的星星都斂了光芒，
　讓連宵風雨攪起飛浪。
　　把住舵，槳，憑每條臂膀，
衝過苦熱的黑暗纔迎着明亮。

夥伴，你後退？你向空中呆想？
　後面，追奔着血流；空中，霹靂震響，
　　這共難的孤舟，向何處停傍？
齊用力，我們要保護住生命的船艙！

夥伴，眞的，你爲甚麼沈不住一口氣？
白誤了掙扎時間，夜仍『未央。』
我不勸你把熱淚收入胸膛，
吝惜中嗎？用把牠化成火力噴向四方。
五月夜的星星仍在你身旁；
在暗裏指導着孤舟飛翔。
莫怨天；更不必懊恨夏夜方長，
你看，這四圍血雨，那一滴不染上你的衣裳？

初夏的朝霧

一

浮漂着臭汽油的黃水面，
夜霧，如輕綃帳向上升騰。
緩緩地，圍籠住這奇怪的，
醜惡的，還有血的心臟的
城市。夜，已步入朝之階梯，
灰色綃帳後微露出朝旭。

二

牠全了解自然律的眞理，
眞呀，朝旭的光輝會燒碎
世間虛夸暴厲的面具。
好一場假的春夢；却偷捉着
輝耀宇宙的美麗象徵，
還想把大地山河整個捲入！

三

夜未盡，看天窗從靉靆
的沈沈中漸漸開啓；霧，

16

輕曳着，也閃出浸耀朝光的
門戶。黑暗的鞭打，昏暮的怨憤，
他們，這城中的不眠人，都一例狂吸着淸光；都把胸膛裸露。

四

是眞的夏之日
誰還覺着畏怖？
他們各捧血淚
歡迎這生長的時季！
燦爛與光熱，
燒碎了僞造的象徵，
罪惡與孽報，

光天下有公判的賜與。

五

那時，
輕霧得一聲快意報償，
是啊，
牠不會迷失了生之路。
醒來！醒來！
是還有活躍着血的心臟的地方，
興起！興起！
初夏的朝霧傳佈着更生的消息。

五月五日夕。

18

展一片綠野鋪入青徐

一

展一片綠野鋪入青徐，
抖幾道飛波躍入河漢。
那一處不是——你想，你看，——
我們的中原？那一個人民
不爲古老的祖國流過血，汗？
你就忍得過，——這美麗，這燦爛，
永遠的山，河，原野，全塗上腥羶？

是有血有肉的生命憑人蹂踐?

二

展一片綠野鋪入青徐,
抖幾道飛波躍入河漢。
歷史,這血污的空頁,是時候了,
來一次更壯烈的煊染。這大地
原是湧流着自由的山,川!
你不要驚顫;怕烏鴉飛蔽了
晴天。有暴風狂雨在我們的當前;
到時,烏鴉會被强力的風雨衝散。

20

三

鋪一片綠野展入青、徐，
抖幾道飛波躍入河、漢。
過去畫圖會否眛蒙過你的明眼？
你，堅强的心怎會有容易的『突變。』
你沒有記憶，——難道你也沒了
痛苦深感：火灼的，毒衝的，刀刺的，
原始的食肉獸已逼到你的身前；
難道你甘心把你的肉體，靈魂奉獻？

夜風掠過

掠過平原；掠過羣峯；
掠過濁浪騰翻的大河；
掠過惡夢中醒叫的江，湖，
把血壤上的芬芳，攙骨灰的塵土，
送去，送遠了，送遠了，到
良心的天國！輕拂着
惻惻的面目，你認識的
清楚；那面目給你
透心的直視：如古代箭鏃，

22

牠的尖鋒會沒有虛發
的饒恕。夜風，鬆柔的笑，
這笑，像把胆怯者的心意拴住！

從地面上，地底層與地獄底，
夜風，帶走了灼熱，苦痛，恥辱。
多少活躍靈魂，向自由高空
輕踏着雲霧；他們，——
從血流中來，抖去鮮紅的血汚。
郊原，綠樹，河道與鄉村，
還有大城裏的高樓烟突，
用我們的血洗過了，有

我們塡平過窟壕的屍骨。
在天國，那大的面目，——
牠，隱不住公判的顯露！
對每個，夜風送來的靈魂，
牠分別地測量到心深處。

狂與愚會燒毀了『他們』自己，
青春與悲劇埋入勇敢
的土地！『他們』應該記得
自己的罪罰，爲甚麼
夜風空對『他們』冷冷地歎息？
在天國，那大的面目，

24

怎能對『他們』有平和的徇私。

夜風掠過，夜風掠過！
把血壤上的芬芳，攙骨灰的塵土，
吹向太空，現一回，偉大哀壯
的人生的畫幅。——
天國的警笛，
牠不是只唱着傷逝哀曲。
夜風掠過，夜風掠過！
在悶熱，深哀，驚心的
五月夜裏，……
每個星子四射出飛光；

每個人的語聲誠明誓祝，
每個靈魂爲故國的再生歡舞。
聽：平原，羣峯，大河與江，湖，
到處交響起爭自由的前奏曲！

廿六年五月一日

飛龍與火網

一

在久遠久遠時，
這世界的洪荒初：
大神從漫空
撒下一個火絲網，
虎，獅或螻蟻，（誰缺少生之力？）
她罩住每個生物。
有三條網綱

是這火網的總系。
看紅燄怒發
交映成明麗斜十字，
在高空動蕩（也在你的心頭。）
散布氤氳中的毒氣。

二

爲進化，先把愚昧奠了基石；
爲幸福，先叫蠻野做了前驅。
洶湧的水，『吹萬』的風，還有火種從土殼裏
騰空燒起，在地面上染成火動的畫圖。
這還不夠，從火網網上投一把三尖飛刺，

28

多明亮，多慘，多惡毒！刺入驕狂殘忍者的心底，挑起他們
肺腸在火網上游戲。

三

斜十字，怒紅的血劃破暗空，
高舉出那把三尖的怪器，
三尖上的贈予是『貪，恚，癡』
也等於生命的諷語？可是，
牠們抖亂了網上紅絲。
三尖怒光將世界攪動，
扮演出人類無窮哀劇！
要求生，——生的豐富要活力——

向未來追逐，滿足更要有——
生之味的沉迷。大神並沒曾
用這火網將生物的眞心封閉，
後面有情與慧織成的美麗繡幕。

四

自從魔鬼從樂園逃出，
牠，瞭空，拏到這火網的提綱。
牠情願在火網裏深藏，
吐一口毒汁，那紅焰變了顏色，
慘綠，暗紫，死屍的凝血，
在密網中預備好禽獸食糧。

完美的歡娛避開人間，
毒汁染汚了逶世界的海洋。
大地，生長着慘惡瘡瘍，
『貪，恚，癡，』銜破了淒熱的網，
牠們全毀掉了原生的榜樣！
破坏，破坏，刺斷進化線，
幸福全墜入魔鬼手掌。
三尖刺先搠開大家的胸膛，
他們，空博得魔鬼高聲歡唱。

五

有一日，東方，一條飛龍，——

橫空，越過斜十字，來自東方。
他有大力攪碎了紅燄火網，
他笑呑着那三尖飛刺，
爲人類，他不吝惜口角的血漿！
斜十字端正了，魔鬼從空中墮落，
三條網綱變成另一樣的明亮，
水與風，東，南，西，北，都歡躍飛揚！
再生了！三尖刺從飛龍口中高
懸起自由，博愛與眞理的面像。

江南天闊

一

這兒湧不出一股清泉，
也沒會有明麗的閃影；
聽不見鶯鳥的鶯鳴，
草莽中亂撞着蛣蛐。

二

毒刺灌木在彎狹路上縱橫，

一堆骨塊黑夜裏跳動。
四圍碧火圍繞着圓虹，
江頭寃泪都凝成天半飛星。

三

半夜後——他們還沒有覺到『春醒?』
『江南天闊』那一道黃流可是
他們認識的樂園的邊境?
『江南天闊，』暗塵罩住夢裏的幻鏡。

四

誰想吸一口冷泉飛撲的清涼?

34

閉了眼喝飲着腥濁血漿。
難得是沒討厭着體蠅蛆，
睜不開眼睛仰看星虹的明光！

你的靈魂鳥

不要讓黑暗阻礙了你，
有多少燭光在天半輝耀。
不要驚惶狠狗的嘷叫，
在你頂上，有你的靈魂鳥！

織一片陰影，
　兩尖舌的毒蛇把你圍遶：
噇一次噩夢，
　你自己震怖這空前風暴。

36

八月夜的覺醒你還以爲過早？
（可是，茂生後血花已舖滿廣道。）
　　你莫呆呆望着林外那
一個兩個似傾的鳥巢。
趁東方，黎明綫的閃影將到，
聽密林裏鶻聲要叫破淸曉；
啄木鳥的血嘴點在樹梢；
還有多少知更豐養他們
更有力的羽毛。一場徒勞——
陰霧，旋風，把時間空空丢掉。

不要讓黑暗阻礙了你，
有多少燭光在天半輝耀。
不要驚惶狠狗的嘷叫，
陰影中當心毒蛇的圍遶。
更不必震怖這空前風暴，
在你頂上，有你的靈魂鳥！

一九三八，八月

38

正是江南好風景

正是江南好風景：
幾千里的綠蕪舖成血茵，
流火，飛彈消毀了柔夢般村鎮，
恥恨印記烙在每個男女的面紋，
春風，吹散開多少流亡哀訊？

正是江南好風景：
桃花血湮沒了兒女的碎身，
江流中，腐屍飽漲着怨憤，

火光，遠方，近處高燒着紅雲，
春風，再不肯傳送燕雛清音。

正是江南好風景：
到處都彌滿搏戰昏塵，
一線遊絲黏不到遊春人的足跟。
朋友，四月天長你還覺春困？
你，臥在你的國土，
　也有你的家鄉，你的知親？

正是江南好風景：
遍山野一片『秋燒』春痕，

40

誰的夢還牽念着水軟山溫?
祭鐘從高空撞動,滴血紅殷,
你,聽淸否?這鐘聲——
可還爲舊江南的春日晨昏?

我們有太多的孩子氣

我們有太多的孩子氣！
眼看着：湧血波的江河，
掛肝肺的樹木，嬰兒
在刀山上驚啼，女人
躺在猛獸爪下咽着羞辱。
還有：醜花狂開了謊言的蕾，
　妒泉的淫浪彌滿大地，
燎火飛燒着和平的田園，
風雨打折了茂生的柯枝。

42

我們有太多的孩子氣！
不曾將熱淚化成飛雲；
不忍將眞感埋入化石，
更不高興，不情願去承受
獸吻的毒沫，讓皮肉銷蝕。
孩子氣，——是宇宙的神奇；
是光熱的火種，岩石裏爆發。
生有同種生，
死則同種死，
在太空每一星火光，
飛馳着永恆的美麗！

如今你不必過分担心，
尼羅河，底比斯，㊀
底格里司河上坟宮的沈沒，㊁
特羅地下尚留有九層廢墟，㊂
恆河沙埋化過多少聖骨，㊃
巍巍希臘空生長過奢浮。㊄

㊀埃及的新王國建都城於底比斯 Thebes，約在西歷紀元前一五八〇年時。

㊁Shinar 古平原卽巴比倫尼亞所在地，伊蘭高原在 Shinar 平原與底格利斯河下游以東。曾發掘出有關巴比倫之古物甚多。

㊂一八七〇年德人許勒曼 Chliemann 發掘古特羅城發現九層廢墟證明此地最古之文化。

㊃恆河乃印度之主要河流；印度古經典詩詞中說到此河處極多。

㊄蘇曼殊讀擺崙弔希臘詩：巍巍希臘，都生長奢浮。好奢浮乃希臘詩人。

亡國敗家有往史的血跡，
謝你，爲中華曾心頭顫慄！
莽蕩山河拖染上夕陽的
餘光，即時，迎着朝旭輝麗。
明星隱藏在天衣深處，
光芒偶一次墮入暗途。
但，這片地下沒全消熱力：
這廣大天空有風雨過時。
中華，世界上獨存的硬果，
她永不怕貪毒鑽食的蟲蟻；
人類還在這圓球上生存，——一日，
中華，不會剝脫了艷色畫圖，

文化光中高擎出獨明火炬，
她映照幽闇，「玫瑰色的手指。」●
她映照幽闇，「玫瑰色的手指！」
指東方，天火裏雷雨迸落，
看太陽微塵有生死循環，
煉出雷雨冲洗死亡，血恥。
我們要拌合宇宙變成劫塵，
是誰能任鬼魔在人間橫肆？
血流衝決海口，同願沈沒，
却也湮沒了戰魁的罪軀，

●見印度古神話關於 Ushas 之傳說。

我們從辛苦歲月中長成巨體，
我們也儘有無邪的孩子氣！
誰會向威力低頭傾服？
年月，火力，刀劍，
待我們的嘗試。
中華，她不會永埋黃土。
你莫只聽枯林中鷩鴞夜號，
你看，鳳凰展開她火樣羽毛。
古長城石壘外一陣天風，
昏夢間煽起人類的心潮，
潮頭浪花都像孩子氣的踴躍，
這世紀，世紀的童年重新來到！

又一度聽見秋蟲

一

又一度聽見秋蟲，——
是否還緊追着旅人的秋夢？
調一曲初涼夜的秋音，
萬落千邨響動戰伐的金風。

二

這世代裏叫不出小兒女的怨情；

詩人肺腑不再被凄涼樂音引動，
他情願正看白骨上那一點流螢，
——一點燐火，迸躍出光麗的眞誠！

三

密雲下到處奔馳着風霆，
爲震醒『供人食料』的蒼生。
城市，郊原，夜夜裏煩寃鬼哭，
悲壯的音從人間驚破幽冥！

四

誰曾向毒熱的『夏日』低頭愛慕，

誰會爲秋氣蕭瑟戰慄呑聲？
您不必空揮着憂心的涕淚，
秋來，無根的百草應分凋零。

五

悠悠麼，耐不住這慘冷的長夜，
捧一把小心期待着風霆後的空明。
江頭，闊野，高空看多少鐵手廝拼，
誰有生命的餘力徒念着淒淸？

六

這正當時序成熟的壯盛，

蕩漾起『秋肅』傳音，心底永生。
戰士為仇敵備下了『未歸箭』●
暗夜裏等他們自碰飛鋒。

七

又一度聽見秋蟲，
是否還緊追着旅人的秋夢？
有多少『萬竅』驚鳴，
高壯，清肅，壓住草下的和應。

八

調一曲初涼夜的秋音，

萬落千邨齊響動戰伐的金風！
聽秋音要徹底的悲壯，
誰有生命的餘力徒念着淒清？

一九三八年之秋某夜夜半寫此

●新序曰「楚王載繁弱之弓，忘歸之矢，以射隨兕於夢也。」

第二輯

弔今戰場

二十五年九月某日晚與郢生君往遊歸來寫此

第一段

爲甚麼我與你踱步在這條街頭？
看夕陽餘光偷藏在誰家的窗後；
爲甚麼我與你踱步在這條街頭？
聽乾枝咽泣，舖道上亂掃着枯葉颼颼。

這街頭，還有刼後的面目存留，

這街頭，幾家殘敗的店舖，幾處新修；
幾處荒草的曠場寒蟲跳門，
這街頭人與物都蒙上一層霜秋！

不見，——
小書攤上那些金字皮脊的燒痕？
不見，——
斷瓦土塊中還抹着熱血的餘溫？
不見，——
西風裏疎柳低拂着欹斜的木門？
不見，——
竹籬旁一隻瘦鷄彷彿怕瀝血的鋒刃？

56

那層樓空壳徒然在瞪目哀吟，
那黑窗下，是悽澀呑聲的機輪。
又一邊：——
鬆鬟，彩衣，輕拖着木屐嬌嬈，
黃昏時散一陣毒香的紅笑。

第二段

當年，這街頭不也是清麗的江鄉？
小橋，茅舍，一彎彎流水吻着秋陽。
閑時，下了船工，姑娘們岸邊曬網，
黃昏後，月明中說書的盲人登場。

當年，他們都是爲生活天天窮忙，
當年，農夫們赤脚在水田中插秧。
是啊，如今再沒有寒傖的人生式樣，
却又來換一套吸血搾肉的繩繮。

黄浦潮是那一年潮頭高漲？
從此，洪水過後衝決了隄障。
鐵輪，馬達，起重的怪物，電力輝光，
在黑手拏揑裏改變過當年形象。

柏油攙合着膠泥，——時代的芬芳；

黑烟柱從肥沃土地上罩下迷帳。
到處把油綠的田野遮一層昏黃，
誰說自然能永久撫摸住她的胸膛。

却又來，換一套吸血搾肉的繩韁，
要掙扎，是男女須投入時代的血網。
憑一身傀佮一片小心一股勁的瘋狂，
你與我的勞力塡滿了多年飢餓的中江。

一口剩飯幾把銅板，虎口中吐出餘糧，
『有耐力，勤勞，好百姓！』誠心地稱揚。
比做阿非力加鑿山開河的土著，

憑自己的土地替人家斬除荆莽。

第三段

多少年傳留來的嘻嘻笑臉，
沒法子呀，讓强梁的能幹！
鄉邨裏還餘下白髮書獃，
迷瞪着朦朧雙眼，向空伸拳。
新都市的邊緣速力前衝，
火藥氣攙合着血味腥膻。
這氣味薰脫了睡獅的怒毛。
疲倦裏還有聲忍痛的吼嘆？
在另一個世界中引起眼饞：

60

「你瞧，夥伴們，咱們眼福多寬！
西方，東方，來多少鐵馬奔蹿，
黑氣高噴，迷蒙了澄江一綫。
囊來全世界的珍寶，金錢，
玩的，吃的，外國的戲法會變。
「祝福呀！上一代的先人
空埋在辛苦造成的墳園。
掙一份家私這時機誰能失掉，
只要有伶俐的頭腦，諂媚舌尖。
來！咱們拚力造成洋化的樂園，
拆了茅棚，讓他們强買去良田。」

從此，變形的惡之花的園裏
開滿了忘我的花朵，
花粉上，毒汁沾住輕飛蜂蝶。
醉夢間那顧到明日生活，
這裏雖不是伊甸的處所，
園牆外還能夠鼾聲睡覺？

第四段

五年了，十年了，幾十年匆匆飛過，
想造樂園的不能樂生，低首求活。
一隻大網從洋場撒到鄉村，
提提網線勒進你們的肉痕。

62

給一口甜食容引起胃液吐吞，
合作呀，那天能擠進快樂園門？
「江水有情，」聽不了窮苦呻吟！
「江水有情，」空嘆這古國的順民！
「江水有情，」她知道興亡眞因！
「江水有情，」冷瞧你們的傻勁！

第五段

五年了，十年了，幾十年匆匆飛過，
有一年在這裏點着了燒天野火。
暗夜中，耀紅了樹影，耀紅了樓閣，
每一個箭星閃爍在每個角落。

沿大江湧流出狂喊，怒叫，
從南國高奏起悲壯戰角。
『也有一天，咱們得拆却別人的樂園；
也有一天，咱們能燃燒着自由的血液！』
大家盼望眞有一日，黎明，
改換過幾重奴隸的生活。
把每個人心點了起狂熱的火把，
小巷裏的密語，大道旁的集合。——
咱們不爲在激流上多冒一個浪花，
咱們要揭開這吸人膏血的毒幕。
江灣，是一顆秋樹都叫出豪壯的鳴聲；
江潮，爭鬥求生的波浪打破寂寞。

第六段

且安排怎樣去躺過悠悠的時間，
時代更新了，都應分安居樂業！
『年太平』酒樓中一例高歌。
忽一聲夜炮遠響於東北大野，
一片降旛掛起了古國的顏面。
塞外烽烟燒不到殘剩的江南？
聽秋原中有多少寃魂咽泣，
聽聲聲戰鼓，且待牠敲進邊關。
割地贈金，那只是往古的愚昧，
如今，不是有萊芒湖的紳士衣冠？

等待，等待，誰敎咱無涵養的心焦，
誰說，你獨個兒能打囘江山？
東風，——空送來大森林戰血飛腥，
朔風——森林裏的壯士透骨衣單。
從森林裏，平原上伸出了另一隻魔手，
你瞧，那血的戲法直要到那揚子江邊！

第七段

戰！　戰！
你不須憂怕，你不用驚顫！
應該用血流來洗一洗柔靡的江南。

這裏吐出火蛇的舌餤，
這裏混合着漫空硝烟，
在咱們手造的路上，馳驅着
鐵甲怪物，吃咱們的飛彈。
在大家的房頂上架就了
毀滅一切的武器機關。
恥辱，憤恨，會併作一團狂笑，
沒有生路誰會向馬蹄下討饒。
等待，忍耐這血的日子他們逼到！
在這樣的淸秋，來，碰一碰尖刀。
戰！

到這時顧到麽『堆骨成山？』

戰！
有明天，人類總還能再一度相見！
咱們不已經靜候着唾沫在臉上晒乾？
可是，這又一口的毒血噴到你的胸前。
這裏，讓樓台都在火灰中飛散；
讓大人，嬰孩的骨血，鐵蹄下臭爛。
這裏，咱們開始了不回頭的爭戰；
這裏，誰還能想到未來的糾纏。
江邊古樹飽嵌着流彈，
人類文化的紀錄——一陣飛烟。
南國多健兒，鐵蹄下碾碎了華年，
溝渠，有多少條血蛇蜿蜒。

憑勞力築造的道路，樓台，
咱們情願牠成為世界末的奇觀。

第八段

震山林還記得那一次的獅吼？
念舊迹還留下那一場的血鬥！
如今又一樣的清秋，
紅雲接去了斜陽，——枯草，瘦柳。
幾個孩子在磚瓦堆中，
他們為蟈蟈兒打成交手。
窮女人，破衣提筐往垃圾裏
撥找寶物，地攤上有乾癟的橘，柚。

一口飛唾寂寞在少行人的街頭，
牠瞪起白眼瞧着那石碑發抖。
從那裏繞過來幾隻寒鴉
拖着無力黑翅，破簷上呆溜。
向前去，我與你各自低頭，
轉過荒場，草根下還有焦臭。
瞧：幾家煙囪中晚煙斜逗，
怪，怎麼連烟痕也那樣輕瘦？
行行，鄰近兵營裏衝出一陣號音，
這是未來，也許眼前急戰的前奏？
到處一個例，這古國是爛熟肥肉，
試一試廚刀礙不着尖鋒上鐵鏽。

『江南好！』漂亮的詩賦閃着光華，
——不是？『年太平』都會這一套神咒？
豈但是古人的白骨生長了青苔，
三年，誰家秋笛裏還蕩出『今人』閑愁！

第九段

『向東去，轉再兜一個彎，
啊！這三十五號你不記得
那年八月，在小客堂有一次晚餐。
對了，這石庫門新的改換，
二樓上嵌進去幾個圓點。
一，二，是五個，六個？就是我的臥室，

是眼前——阿玉在那兒咬指尖。……
嚱！臨行時黃昏後的簾影輕顫，
看！密密的細竹縫裏透出大焰。
…………
………………」
碎的，圓的凸着大肚子的石子兒，
眞乾淨，一個個是新生的鵝卵。
連瘦狗的爪子也帶不上一點汚泥，
行人脚步那麼慢慢地，輕輕地，
或許怕鵝卵下還有爆的花？
一個有眼屎老翁里門口斂住氣；
駝背小姑娘搔搔沒人看的黃髮。

72

灰牆角下輕搖着秋海棠的柔葉：

這半死的短街，像墮入秋山，
不，秋山中還有騷動的聲息。
怎麼？連緊接的房子也沒人語，——
呆久了，沈默鎖住大家的躁氣。
轉身去，一滴淚痕眼眶裏凝留，
『朋友，咱們幹嗎還在換主的門前難受？』
鉛雲片下飛來哀鴻的凄歎，
『你瞧，牠也是塞外逃來的無家遊子？』

第十段

今戰場是古戰場！——
如果他在人的記憶裏遺忘。
難道咱們還用畫空中閣樓，
也不用從想像上硬造花朵。
那一條血河，那一塊骨頭，
白與紅的顏色不在這裏存留？
那幾個囚犯，那幾個婦女，
他們會摸不清鞭痕，烙記？
這裏，按『天理』講是誰的罪過？
爲甚麼憑血肉任人家飽償飢渴？
古戰場是今戰場！——

74

看，隣營炮口又對準這片地方。
血泥中再預備加一層肉的肥料？
西風吹送陣陣的戰馬嘶叫。
揚子江頭只剩下濁浪洄漩，
將來她一樣承繼着黃河的流怨。
用自己的血把這浪頭打翻，
將來，她方有和平與安閒，
不見，亡國花紋在歷史中浮雕映現？
那時，『潮打空城』替誰家奏戰勝歌弦？
爲甚麼我與你還踱步在這條街頭？
黃暈燈光朦朧在誰家的窗後？

爲甚麼我與你還踱步在這條街頭？
聽！乾枝咽泣，已找不到枯葉飅飅。

朋友，不管你在遲留還是歸去，
你與我都有雙手。
用脚步空踱盡時間，
手的力量在沈歎中溜走！

爲甚麼我與你還踱步在這條街頭？
近處，——秋風又催起戰狂的毒咒。
爲甚麼我與你還踱步在這條街頭？
遠處，——遠麼？望一望燕雲下的『神州』

廿五年九月某日夜半草成

76

蓮花峯頂放歌

二十五年秋偷閒往遊黃山數日。山勢的壯偉，松石的怪異，雲海的變幻，溫泉的快適，歷久不忘；當時也曾寫過幾則筆記，幾首詩歌。寂居中追念舊遊，山色松濤，仍留夢寐。重行錄出以紀前蹤。㊀

散一把石屑堆點成三百里的羣山，
化五千年神話擁出七百丈的烟鬟。
這兒：
鉛色，赭色，青蒼與怒赤。
這兒：
雄獅，跳鼠，鳴鸞與飛鳶。

㊀詩中有好多黃山的神話，故實，風景名勝處，不及一一註明。

這兒：
眩光在陽岫上閃現，
雪浪在陰厓裏迴漩。
鑿空穿雲，——偉大的玲瓏，
鳴筑，瀉玉，——清冷和剛健。
這兒：
使你陶醉，
使你突躍，
使你沉思，
使你微笑；
使你擠出萬千滴心血摹宇宙的彩繪，
使你衝翻了密網的人間夢直望青天。

78

青天——這兒有輕飄的一線；
串起晝與夜的兩個明丸：
火球盪開迷霧跳上高峯，
斳冰的夜鏡在松頂飛懸。

方從火爐中躍出；
方從天池中掉入；
方從原始洪濤的圈外漩到圈裏；
方從永恆的霹靂聲中雕塑整齊。

是微塵的搏聚？
是水火的噬餘？

是天河裏失落的一撮輕砂?
是地母頭上脫掉的一團灰髮?
歲月只是石窟中古歷史的零頁,
你我怎算得巨靈指尖上的彈屑。

這兒要從何時算起?
這兒憑你設想如何?

時與空永難和奏出一曲諧歌,
物與我翻騰着億萬年的生滅。

前進啊,爬行啊,穿過與蹉跎。

80

回頭看：
我的步迹，
我的汗滴，
我的心悸！
回頭看：
有振怒的狂飆，
有狂醉的封雲，
有冷眼的怪石。
回頭看：
舊夢在自己脚下碾成輕塵，
遊絲在自己眼前飛變色素。
回頭看：

是誰的心肝挑上了劍劃的鋒芒？
是誰吐口灝氣混同了人間悲喜？

蓮花蕊上抖落了斜陽，
空盪着一片迷離金光。
天風把千萬個峯尖逼轉方向，
金光在重陰密谷下迸發巨響。
我們嗅到『大自然花蕚』裏的奇香，
我們呆望着這怪偉的裸女體相。
——上覆着蒼空，下地呢？何從探量，
兩大間矗立着妙蓮花的母樣：
亭亭，

巍巍，
她疊成千萬尺的好高髻，
搖搖輕動在地母的頂上。

劈開數不清的垂瓣，擲下峯梁，——
……烈火的焰舌捲上，
……飛泉的水脚暗藏。
勒一筆畫師的古勁——
重重，疊疊奇美的眩麗的，
亢進，柔服，轉側與飛翔。
整個兒投入絮海——
在下方，在下方。——

有多少魂魄在這兒不會消逝?
有多少心懷在這兒容你起伏?
悠悠——那輕泛的情調怎能形容,
欣欣——只是露出你的淺薄自熹。

峯腰圍不住一束浮雲,
峯顛却射出萬支箭鏃。
你瞧:雲斷處,天盡處,
望西方——一段彎弓的暗影向西方投去;
是峨嵋的迴光,
是崐崙的靈氣?

84

你瞧：你的身邊，你的脚下，
你的心胸裏扭住的呼吸。
你瞧：千萬尺的墜石；
千萬個銳鋒的矛戟；
千萬層捲濤逆浪；
還要聽千萬聲密林中的怪語！

方從喉頭要吐出「奇」字，
用得到麽？寒傖的讚語；
方在胸中透一點爽氣，
更慚愧！人間度量眞狹隘。
啊！從奇徑上探得香砂，

纔能在懸空裏站穩脚步。

還記否升降的盤紆?
還怕否崩压的垂縷?
還當心香蘁中美的沈迷?
還念念閻王門前的生死?㈠

雲海中到處都有暗礁,
道旁危步像緣着『秋毫。』
攪千層波瀾何曾壓得下歌笑,
吐一腔呼吸能接住白日天高。

㈠蓮花峯,閻王坡皆黃山上的山頂,陡坡的名字。

86

前後——
聽熊虎的咆吽。
上下——
像仙靈的招邀。
莫怕地軸在那時折倒，
且聽大雨吹碎了萬竅；
『不能險絕不縹紗，』
這兒眞給你一次『人生』的心跳！

江南曲

王統照作

發行人
吳文林

發行所
文化生活出版社
上海山西路慈豐里

印刷所
文化生活印刷所

實價三角五分

巴金主編

文學叢刊

第六集

共十六冊

隨糧代徵	長篇	白芸窗	貝殼	散文	莊瑞源
遭遇	中篇	金魁	夏蟲集	散文	繆崇羣
秘密的故事	中篇	舒羣	霧及其它	散文	靳以
利娜	中篇	巴金	囚綠記	散文	陸蠡
使命	短篇	李健吾	投影集	雜文	唐弢
荒	短篇	田濤	沉淵	戲劇	林柯
三月天	短篇	屈曲夫	木廠	長詩	鄒荻帆
魚汛	短篇	宋越	江南曲	詩集	王統照

中華民國二十九年四月初版

巴金主編

文學叢刊

我們編輯這一部文學叢刊，並沒有什麼大的野心。我們既不敢樹起第一流作家的招牌，欺騙讀者，也沒有膽量出一套國語文範本貽誤青年。我們這部小小的叢書雖然也包括文學的各部門，但是作者既非金字招牌的名家，編者也不是文壇上的聞人。不過我們可以給讀者擔保的，就是這叢刊裏面沒有一本使讀者讀了一遍就不要再讀的書。而在定價方面我們也力求低廉，使貧寒的讀者都可購買。我們不談文化，我們也不想賺錢。然而，我們的文學叢刊却也有四大特色：編選謹嚴，內容充實，印刷精良，定價低廉。第一二三四五集各書均已出版。第六集自二十九年三月起陸續出版。

第一集

書名	作者	類別
路	茅盾	長篇小說
故事新編	魯迅	短篇小說集
神·鬼·人	巴金	短篇小說集
八駿圖	沈從文	短篇小說集
團圓	張天翼	短篇小說集
雀鼠集	魯彥	短篇小說集
珠落集	靳以	短篇小說集
南行記	艾蕪	短篇小說集
羊	蕭軍	短篇小說集
飯餘集	吳組緗	短篇小說集
分	何穀天	短篇小說集
短劍集	鄭振鐸	文藝論文集
黃昏之獻	麗尼	散文集
雷雨	曹禺	四幕悲劇
以身作則	李健吾	三幕喜劇
魚目集	卞之琳	詩集

第二集

書名	作者	類別
秋花	靳以	長篇小說
江上	蕭軍	短篇小說集
土餅	沙汀	短篇小說集
谷	蘆焚	短篇小說集
憂鬱的歌	荒煤	短篇小說集
多產集	周文	短篇小說集
崖邊	柏山	短篇小說集
銻砂	蔣牧良	短篇小說集
生底煩擾	歐陽山	短篇小說集
海星	陸蠡	散文集
鷹之歌	麗尼	散文集
商市街	悄吟	散文集
畫夢錄	何其芳	散文集
憶	巴金	散文集
母親的夢	李健吾	戲劇集
掘金記	畢奐午	詩集

第三集

書名	作者	類別
星	葉紫	長篇小說
栗子	蕭乾	短篇小說集
曼陀羅集	陳白塵	短篇小說集
夜景	艾蕪	短篇小說集
春風	張天翼	短篇小說集
黃沙	靳以	短篇小說集
達生篇	萬迪鶴	短篇小說集
小巫集	奚如	短篇小說集
髮的故事	巴金	短篇小說集
印象感想回憶	茅盾	散文集
綠葉底故事	蕭軍	散文集
橋	悄吟	散文集
銀狐集	李廣田	散文集
咀華集	劉西渭	批評集
日出	曹禺	劇本
運河	臧克家	詩集

第四集

書名	作者	類別
煙苗季	周文	長篇小說
山徑	白文	中篇小說集
航線	沙汀	短篇小說集
里門拾記	蘆焚	短篇小說集
小魏的江山	陳白塵	短篇小說集
夜工	蔣牧良	短篇小說集
長江上	荒煤	短篇小說集
長生塔	巴金	童話集
嚇美國嗎	尹庚	報告文學
夜記	魯迅	散文集
旅人的心	魯彥	散文集
崇高的母性	黎烈文	散文集
白夜	麗尼	散文集
廢郵存底	沈從文	書信集
新學究	李健吾	劇本
野花與箭	胡風	詩集

第五集

夢之谷	蕭乾	長篇小說
砂丁	巴金	中篇小說
憎恨	端木蕻良	短篇小說集
苦難	沙汀	短篇小說集
牛車上	蕭紅	短篇小說集
鹽的故事	蹇先艾	短篇小說集
生人妻	羅淑	短篇小說集
野鳥集	蘆焚	短篇小說集
遠天的冰雪	靳以	短篇小說集
竹刀	陸蠡	散文
草原上	劉白羽	短篇小說集
兒童節	羅洪	短篇小說集
十月十五日	蕭軍	散文
原野	曹禺	劇本
無題草	曹葆華	詩集
刻意集	何其芳	散文

第六集

隨糧代徵	白芸窗	長篇小說
遭遇	金魁	中篇小說
秘密的故事	舒羣	中篇小說
利娜	巴金	中篇小說
使命	李健吾	短篇小說集
荒	田濤	短篇小說集
三月天	屈曲夫	短篇小說集
魚汛	宋樾	短篇小說集
貝殼	莊瑞源	散文
夏蟲集	繆崇羣	散文
霧及其它	靳以	散文
囚綠記	陸蠡	散文
投影集	唐弢	雜文
沉淵	林柯	戲劇
木廠	鄒荻帆	長詩
江南曲	王統照	詩集